EL DUENDE VERDE

Santiago Gómez

ANAYA

Juan Ignacio Luca de Tena, 15. 28027 Madrid
www.anayainfantilyjuvenil.com
e-mail: anayainfantilyjuvenil@anaya.es

1.ª ed., marzo 1994
18.ª impr., mayo 2009

Diseño: Taller Universo

ISBN: 978-84-667-7794-0
Depósito legal: M. 24253/2009

Impreso en ORYMU, S.A.
Ruiz de Alda, 1
Polígono de la Estación
Pinto (Madrid)
Impreso en España - Printed in Spain

Concha López Narváez

AVENTURAS DE PICOFINO

Ilustración: Juan Ramón Alonso

QUERIDO LECTOR

Aquí estoy de nuevo contigo. Esta vez te he traído a Picofino, un gallo que vivía con su madre y sus hermanos en el patio de una granja. Un día se fue por el mundo y corrió muchas aventuras. Él no quería marcharse; pero tuvo que hacerlo, ya sabrás el porqué cuando leas el libro.

Al principio Picofino estaba triste y asustado; sin embargo el mundo le gustó: aprendió muchas cosas y conoció a mucha gente por los caminos del aire. ¿No te he dicho todavía que era un gallo volador? Por eso los pájaros le... Ah, no, aún no puedo contártelo. Lo que sí puedo contarte es que tuvo que pasar por grandes peligros y se vio metido en bastantes líos; pero acabó pasándoselo muy bien. Recorrió, o ¿sería mejor decir revoló?, el campo entero, fue a la ciudad, y un día volvió a su casa. Las gallinas se asustaron, todas menos Carolina, que era hermana de Picofino. Cuando Carolina lo vio llegar por el aire, sus plumas temblaron de emoción y de alegría.

En fin, querido lector, ahora yo me voy y te dejo con Picofino y sus amigos. Espero que lo pases bien, diviértete y no olvides que el mundo de los gallos no es tan diferente del de las personas; en uno y en otro hay seres pequeños y asustados que, si se esfuerzan, aprenden a ser felices.

Hasta siempre.

Concha López Narváez

A Juan Ramón Alonso, ilustrador
y amigo, que con sus dibujos
enriquece las palabras.

1

PRESENTACIÓN

QUIÉN soy yo?

Yo soy Picofino, un gallo que va por el mundo corriendo aventuras.

Nací en una granja; pero un día me marché de casa. No fue por mi gusto. Tuve que escaparme.

Estaba delgado, tenía pocas fuerzas, la cresta muy pálida y las plumas cortas.

En resumen, era feo y débil. No servía de jefe en el gallinero.

Por ese motivo la mujer granjera me quería guisar.

Mi madre lloraba.

Mis hermanos estaban muy tristes. Me decían: «Lo siento» o «Qué mala suerte». Todos, menos Carolina.

Carolina dijo:

—Llorando no se arregla nada. Mejor es pensar.

Pensamos; pero no tuvimos muy buenas ideas.

Un hermano dijo:

—¿Y si le ponemos mil plumas de pájaro tapándole el cuerpo?

Eso no servía. Me estaban pequeñas, y, si hacía viento, se despegarían.

—¿Y si le pintamos la cresta de rojo? —preguntó otro hermano.

Esa idea tampoco era buena. Seguiría delgado, y, cuando lloviera, se despintaría.

Y después soplaron dentro de mi pico. Me querían inflar lo mismo que a un globo. Dijeron que así engordaría.

Sólo engordó el buche.

¡Qué molesto era!

Además estaba muy raro con el buche enorme y el cuerpo pequeño.

Y de pronto, Carolina dijo:

—¡Ya está! ¡Ya lo tengo!: le enseño a volar y luego se escapa.

Carolina volaba muy bien. Era su afición.

30
29
28
27
26
25
24
23
22
21
20
19

Cada día volaba dos horas seguidas. Era una gallina fuerte y deportista.

Pero yo tenía un miedo terrible a subirme al aire.

—Me voy a caer, es que soy muy torpe —le dije.

Ella se enfadó.

—¡Que yo no te oiga decir que eres torpe!

—Pero soy delgado.

—Pues mucho mejor, el aire te lleva sin ningún esfuerzo.

—Pero, ¿y si me escapo y luego me pierdo?

Carolina se enfadó otra vez:

—¡Tienes que escaparte! Te van a guisar. ¿Es que no lo entiendes?

Mis plumas temblaron. Sí que lo entendía.

Carolina olvidó su enfado y dijo con voz de cariño:

—Venga, Picofino, vamos a volar. Ya verás, es fácil, y además es muy divertido.

Enseguida empezó a enseñarme.

Tenía razón, era muy sencillo: se daba un saltito, se encogían las patas, se movían las alas, y el aire empujaba.

Volamos muchos días seguidos. Primero muy bajo y luego más alto. Y me fue gustando.

Hacíamos carreras con los gorriones. Nunca les ganábamos, pero nos reíamos.

Carolina dijo que era un buen alumno.

Por fin, una tarde subimos al muro que guardaba el patio en el que vivíamos y miramos fuera.

Fuera estaba el campo. Era enorme y verde. Lo encontré precioso.

—Carolina, me voy a ser libre, ¿te vienes conmigo? —le dije.

Pero ella me dijo:

—Debes irte solo.

—Y entonces, ¿quién me va a cuidar?

—Picofino, si me voy contigo y te cuido siempre, nunca serás libre.

Comprendí que tenía razón, y me despedí.

—Adiós, Carolina.

—Adiós, Picofino; te gustará el mundo.

Después juntamos las alas, nos dimos un beso y levanté el vuelo. Mientras me alejaba sentía por dentro un nudo de miedo y de

pena. Pero no quería que ella lo notara. Por eso fingí que me iba contento.

En el mundo vi flores y árboles; vi pájaros y vi mariposas, y otros animales que no conocía.

Además vi prados enormes, y algo muy extraño: ¡un charco muy largo que estaba corriendo!

Lo miré asombrado.

—¿Qué haces con el pico abierto y cara de bobo? —me preguntó un pájaro.

—Pues miro a ese charco que corre.

—Estás despistado. Es un río y no un charco. ¿Qué tiene de raro que los ríos corran?

¡Un río y no un charco! ¡Y los ríos corrían! Era interesante.

Y, de pronto, otra vez el pico se me abrió de golpe:

¡Delante tenía un montón de tierra que llegaba al cielo!

—¿Qué miras con el pico abierto? —preguntó otro pájaro.

—Miro al montón de tierra que roza las nubes. Estaba pensando que lo habrá for-

mado muchísima gente con mucho trabajo y mucha paciencia.

El pájaro se rió de mí:

—¿Tú de dónde sales? A los montes no los forma nadie, nacen ellos solos. En el mundo hay miles.

Repetí tres veces la palabra monte. No quería olvidarla.

Y después pensé que ya había aprendido varias cosas nuevas y que ir por el mundo era emocionante.

2

La primera noche

APRENDIENDO cosas, la tarde se pasó más pronto de lo que pensaba.

El Sol se marchó y salió la Luna.

Era Luna llena. Parecía una cara roja que estaba mirándome, con los ojos serios y la boca abierta.

Sentí mucho miedo.

Para darme ánimos me dije a mí mismo:

—Picofino, la Luna no se come a nadie.

De acuerdo, la Luna no se comía a nadie. Pero vi una sombra.

Parecía un fantasma con sábana negra.

Empezó a moverse... yo empecé a temblar...

—¡Socorro! —grité.

Después me dio una vergüenza...

Sólo era una rama, y la movía el viento.

Y otra vez me dije a mí mismo:

—Picofino, deja de ser bobo y busca un lugar en el que dormir.

Me dirigí a un bosque que tenía los árboles juntos y con muchas hojas.

«Buen sitio», pensé, y elegí una rama que parecía cómoda.

Cepillé mis plumas y me limpié el pico. Eso hacía en mi casa antes de acostarme. Después, metí la cabeza debajo del ala y cerré los ojos.

Y de pronto alguien me chistó.

Era una lechuza.

Pregunté:

—¿Qué quieres?

Respondió:

—Nada, no es a ti.

—Entonces, que tengas buen sueño.

Ella repitió:

—Chist, chist; chist, chist.

Y yo repetí:

—¿Qué quieres?

—Te he dicho que nada. Sólo estoy cantando, yo canto de noche.

Pues era un fastidio.

Me mudé a otro árbol por no discutir.

Allí no chistaba nadie. Se oía el silencio, aunque entre la hierba cantaban los grillos, y a lo lejos charlaban las ranas. Pero eso no me molestaba.

La Luna había ido a sentarse detrás de una nube. Su luz ahora parecía la de una linterna. Ya no daba miedo.

«¡Qué tranquilidad!», pensé, y cerré los ojos.

Pero el sueño no quiso llegar. En cambio, llegó la tristeza.

Pensaba en mamá y en mis nueve hermanos.

Y ellos, ¿pensarían en mí? ¿Tendrían un nudo de pena en el pecho porque yo no estaba?

No quería llorar. Tenía que ser fuerte. Por eso encerré a mis pensamientos dentro de la cresta. Pero se escaparon. Por lo visto había una heridita y no me di cuenta.

Se escaparon todos. No quedó ninguno.

Después, aunque tenía los ojos cerrados, empecé a ver cosas. Pero eran de esas que nunca se pueden tocar. Eran mis recuerdos.

Veía nuestra casa y veía el patio. Veía los bancos de piedra que estaban sentados encima del suelo, y la fuente alegre que siempre cantaba con voces de agua. Veía a mi madre y a mis nueve hermanos. Reían y jugaban, y se peleaban y hacían las paces...

Sin querer se me fue una lágrima. Es que había tantas detrás de mis párpados...

Pensé en Carolina. Ella me decía:

«Llorando no se arregla nada.»

Y seguramente tenía razón. Pero aquella noche era la primera que pasaba solo...

El nudo de pena que había dentro de mi pecho crecía y crecía. Y de tragar lágrimas me estaba ahogando, y además sabían a sal.

Me cansé y las dejé sueltas.

Salieron todas a la vez. Lo mismo que el agua cuando se abre un grifo. O igual que la lluvia un día de tormenta.

Mientras que lloraba, el nudo de pena se hacía más pequeño. Entonces pensé:

«Creo que Carolina también se equivoca, aunque sea muy lista. A veces el llanto sirve de consuelo. Claro que para llorar hay que tener tiempo. Si uno no lo tiene, mejor es pensar.»

Como tenía tiempo, lloré media hora seguida. Y sólo paraba para respirar.

Cuando terminé se había formado un charco en el suelo, y la Luna se miraba en él.

¡Mis lágrimas eran el espejo de la Luna llena!

Se me fue la pena casi por completo. Me dormí con una sonrisa abierta en el pico. Después tuve buenos sueños.

3

EL ZORRO

CUANDO desperté, el Sol se estaba lavando su cara amarilla con agua de noche. El agua de noche se llama rocío. Lo dice mi madre.

Canté para saludar al Sol: ¡Kikikirikí! Era una costumbre.

—¡Chist! Ahora cállate, yo duermo de día —dijo la lechuza.

Pensé que vivía al revés. No le dije nada

por no discutir. De todas maneras, solamente canto una vez al día.

Después agité las alas, me peiné las plumas, hice mi gimnasia y bajé del árbol a desayunar.

En el suelo, la hierba olía a primavera, y en el cielo no había una nube, todo estaba azul. ¡Qué día tan precioso!

Me sentí contento y pensé que era un gallo libre. ¡Un aventurero!

Pero no sabía que había una aventura tan cerca de mí.

Iba paseando y, de pronto, la lechuza otra vez chistó.

Como es natural, ya no le hice caso.

—¡Chist, chist!, ahora sí es a ti —gritó, y luego añadió—: ¡Cuidado!

A unos pocos metros había un viejo zorro. Me miraba con ojos golosos y se relamía.

Di un salto hacia atrás, justamente a tiempo, y corrí a meterme dentro de un zarzal. Las zarzas no pinchan si se tienen plumas. Es una ventaja.

El zorro me dijo:

—Buenos días, gallo. ¿Qué haces por aquí?

—Ya ves, busco el desayuno.

—Qué casualidad, yo busco lo mismo que tú.

Mis plumas temblaron porque comprendí que su desayuno podía ser yo.

El zorro añadió:

—Me gustan los madrugadores. Si quieres, paseamos juntos, y mientras buscamos nuestros desayunos.

Desde luego, yo no deseaba pasear con él. Le dije:

—Verás, soy poco sociable. Prefiero estar solo.

—Pues en cambio a mí me gusta tener compañía. Anda, sal de ahí.

Le puse una excusa para no salir.

—Cuando yo paseo, siempre voy corriendo. Seguro que a ti te gusta marchar con tranquilidad.

—¿Qué dices? ¡Me encanta correr!

—Yo creo que a tu edad eso ya no es bueno para el corazón.

—¿Me has llamado viejo? —gritó.

Yo me disculpé:

—No, ni mucho menos. Solamente digo que vas a cansarte. Yo canso a las liebres.

—¿Cansarme? Ja, ja. Si soy campeón de cien metros lisos y todos los años gano el maratón.

Otra vez temblé: encima era un campeón... ¿Qué podía hacer yo?

Por supuesto podía volar. Pero soy un gallo, y no un gorrión. Necesito espacio para alzar el vuelo. Antes de volar tengo que correr. Me han dicho que a los aviones les ocurre igual.

El zorro estaba impaciente:

—¡Sal pronto de ahí! —casi me gritó.

Tenía que pensar y además deprisa. Porque el zorro entraría en las zarzas si yo no salía, aunque se pinchara.

De pronto mi cresta empezó a brillar. Se me había encendido, como una bombilla, porque tenía un plan.

Era muy sencillo: había que picarlo. Pero, por supuesto, no era con el pico. Era con la inteligencia.

La gente picada con la inteligencia se pone furiosa, no piensa, y por eso hace muchas tonterías.

Empecé mi plan y le dije:

—Bueno, correremos. Pero te lo advierto, te voy a ganar.

—Eso es imposible. Te ganaré yo. Estoy tan seguro que te hago una apuesta.

—De acuerdo. ¿Y cuál es la meta?

Él miró hacia un prado. Yo también miré. Tenía pocos árboles y era llano y largo: un sitio estupendo para alzar el vuelo.

—Al final del prado estará la meta —me dijo.

—Muy bien, empezamos ya. Pero mira, no quiero abusar, como soy más joven te dejo ventaja. Sal primero tú.

Se puso rabioso:

—¡Ventaja tú a mí! —gritó—. No la nece-

sito, gallo miserable. La ventaja te la dejo yo. Te doy treinta metros. ¡Empieza a correr!

¡Estupendo! Ya estaba picado. Me daba ventaja. Por supuesto la necesitaba; pero treinta metros eran suficientes.

Gritó:

—¡Una, dos y tres!

Salí de las zarzas y empecé a correr.

Él se echó a reír.

Pensaba que un zorro corre mucho más que un gallo y que iba a alcanzarme en cuatro zancadas.

Pero yo no soy un gallo corriente, soy ¡aviador!

Cuando se dio cuenta, ya estaba en el aire. Primero me miró asombrado y luego gritó:

—¡Trampa! Has hecho trampa. Carrera anulada, regresa y empieza otra vez.

Entonces fui yo quien se echó a reír.

Me posé en un árbol y allí lo esperé.

Él quiso alcanzarme y, aunque dio tres saltos, no lo consiguió.

Me miró con ojos de fuego y después me dijo:

—¡Bah!, estás muy delgado. Da igual,

buscaré otra cosa para el desayuno, no quiero saltar. Además, si como carne de tramposos me dará una indigestión.

Después se marchó. Él disimulaba, pero yo sabía que la rabia llegaba a su cola. En vez de rojiza la tenía morada.

—¡Chist!, felicidades, eres muy astuto. Has dejado al zorro sin su desayuno —dijo la lechuza, y se fue a dormir.

—Gracias, buenos días —le dije, y me sonreí.

«Picofino, me parece que después de todo, el día no empieza muy mal», me dije a mí mismo.

4

LAS PALOMAS

YO volaba bien. Carolina me enseñó a conciencia, con todo interés. Era buena hermana y muy deportista. Pero, como he dicho, no soy ningún pájaro. Solamente soy un gallo delgado que se sube al aire y mueve las alas con mucha paciencia.

Aunque lo intentaba, no podía llegar demasiado alto. Por aquellos tiempos, mi sueño dorado era pasear en nube.

De todas maneras, no volar muy alto tiene sus ventajas. Por ejemplo: sabes lo que ocurre en la tierra y oyes a la gente sin que se dé cuenta.

Ya sé, eso es espiar; pero yo no lo hago aposta.

Si hablan, los oigo, porque no estoy sordo.

Una vez, por ser gallo espía, les salvé la vida a muchas palomas.

Era un día de fiesta. Yo iba, como siempre, por el aire bajo. No llevaba prisa. Marchaba despacio y cotilleaba.

Oí a dos urracas discutir por una bobada: «¿Quién tiene la cola más larga?»

Luego vi a una ardilla que estaba entrenándose para una olimpiada.

La señora liebre iba de paseo con todos sus hijos. Si uno se alejaba, se volvía histérica.

¿Y los gorriones? Esos, como siempre, cantaban sin tener ni idea.

En fin, no había nada nuevo, casi todo el mundo hacía lo de siempre.

Menos las palomas.

Las palomas tenían doble fiesta. Una porque era domingo y otra porque era su día de buscar pareja.

Por el aire alto se decían: «Te quiero», y no se fijaban en lo que ocurría ni arriba ni abajo. Por eso no vieron a los cazadores.

Pero yo los vi. Eran cinco hombres vestidos de verde. Llevaban sombrero, pantalón estrecho y botas de piel. Y además, debajo del brazo, algo parecido a un bastón

de hierro. Era una escopeta, aunque entonces yo no lo sabía.

Los hombres miraban al aire y estaban contentos. De pronto, uno preguntó:

—¿Cuándo disparamos?

Otro respondió:

—Espérate un poco, que se acerquen más. Con muy pocos tiros, mataremos a muchas palomas.

Me quedé de piedra, y casi me caigo. Era natural. Las piedras, como pesan tanto, no pueden volar.

Reaccioné enseguida y grité:

—¡Palomas, cuidado!

Ninguna me oyó. Los enamorados están en las nubes. No oyen a nadie.

Tenía que avisarles y empecé a subir.

—¡Palomas, cuidado! —les seguía gritando. Y ellas a lo suyo, sin hacerme caso, y yo medio muerto, subiendo y subiendo.

Me dolían las alas, las plumas, el pico, la cresta...

Ya no podía más y, cuando creí que iba a desmayarme, alcancé una nube.

Descansé un momento y luego grité:

—¡Kikikirikí!

Tuvieron un susto tremendo, pero las salvé.

Me dieron las gracias y enseguida huyeron.

Y yo me quedé tendido en la nube.

¡Qué blandita era! ¡Qué comodidad!

La empujaba el viento, y yo sonreía: se había cumplido mi sueño dorado.

Pero de repente, la nube se puso a llover. Poco a poco se fue deshaciendo. «Menos mal que tengo mi paracaídas», pensé, y abrí las dos alas.

Fui a aterrizar en un prado de hierba mullida y suave. No me hice daño, solamente me mojé las plumas. Pero se secaron en cinco minutos.

Ya estaba dispuesto a seguir la marcha, y de pronto oí que alguien decía:

—¡Atención, veo un faisán!

—¡Estupendo! Cazar faisanes es mucho mejor que cazar palomas —añadió alguien más.

Pensé: «¡Pobre faisán!, tengo que avisarle.» Pero lo busqué y no lo encontré.

Y de pronto: ¡Pim! ¡Pam! ¡Pum!...

¡Qué susto me di! Los tiros sonaron dentro de mi oreja.

Escapé de puro milagro.

«Estos cazadores tienen mala puntería, o ese faisán está más cerca de lo que pensaba», me dije a mí mismo con voz temblorosa.

Y otra vez: ¡Pim! ¡Pam! ¡Pum!... Los tiros a un dedo de mí.

—¡Sálvese quien pueda! —grité, y me subí a un árbol.

—Mirad, se ha subido a un árbol —dijo un cazador.

Lo entendí de pronto: ¡Caramba!, me habían confundido con un faisán...

Para un gallo feo era un gran honor. Pero prefería ser un pollo vivo que un faisán muerto. Por eso me metí en un hueco que había en el tronco, y allí me quedé hasta que se fueron.

5

Concurso de canto

EN el bosque había concurso de canto.

La música siempre me ha gustado. Por ese motivo me acerqué a escuchar.

Dos cuervos, dos grajos y cuatro cornejas hacían de jurado. Estaban vestidos de negro, eran gente seria.

Fueron a posarse en un abedul.

En chopos y álamos se colocó el público.

—¡Atención! Comienza el concurso —gritó una abubilla con traje de fiesta. Era la presentadora.

—¡Chist! —se decían los pájaros unos a otros, y el bosque se quedó en silencio.

Entonces la abubilla dijo:

—Señores pájaros y pájaras, nuestro primer concursante es el ruiseñor. Tiene tantos premios que será larguísimo si los nombro todos. Por tanto, les dejo con él. Disfruten oyéndolo.

Aquel concursante saludó al jurado y no miró al público. Sería por no distraerse. Quizá me equivoqué, pero lo encontré un poco orgulloso. Su aspecto no me gustó mucho.

Sin embargo, empezó a cantar y me conquistó. ¡Qué voz y qué oído! Su pico parecía una flauta hecha de cristal.

Su canción sonaba lo mismo que la brisa fresca un día de verano o igual que un arroyo que corre por un prado verde.

Cuando terminó, en el bosque hubo todo un huracán de gritos y aplausos.

—Ahora les presento al señor jilguero. También ha ganado importantes premios. Seguro que les gustará —dijo la abubilla.

Aquel concursante era muy simpático. Sus alas, negras y amarillas, brillaron al Sol cuando las abrió y saludó al público.

Su canción era rápida y alegre. A veces sonaba como castañuelas, y a veces como una guitarra.

Nos daban ganas de bailar.

Cuando terminó, todo el mundo estaba contento.

—Bonita canción —dijo la abubilla, y luego añadió—: En tercer lugar voy a presentarles a alguien que admiramos todos: ¿Quién no ha oído hablar del amigo mirlo?

El amigo mirlo comenzó enseguida. Se notaba que ya no podía tener el pico cerrado ni un segundo más.

Su canto era fuerte y claro. Pero su canción nunca se acababa. Me dolía la cresta de tanto escuchar.

Por fin la abubilla tomó la palabra y le interrumpió:

—¡Gracias, gracias, gracias...! Ha sido magnífico. Aplaudamos todos.

Y aplaudimos mucho. Teníamos miedo de que el mirlo volviera a empezar.

—Y por último —dijo la presentadora—, está con nosotros alguien que acude a un concurso por primera vez, por tanto, es un principiante. Pero llegará a ser un gran concertista: ¡el señor verdecillo común!

El señor verdecillo común saludó bastante asustado. Después tropezó. Sus plumas, verdes, pardas y amarillas, se volvieron rojas de tanta vergüenza.

Me dio mucha pena. ¡Qué mal comenzaba! Para colmo, confundió tres notas. Pero luego se tranquilizó, y cantó al amor.

Fue maravilloso. Su canción era tan hermosa que uno se olvidaba de todo lo que había a su alrededor.

Cuando terminó, no se oyó una mosca. Nadie respiraba. El pobre estaba muy pálido. Creía que su canto no gustaba al público. Pero aquel silencio era de emoción.

De repente sonaron voces de entusiasmo: ¡Bravo! ¡Bravo! ¡Bravo! Luego los aplausos. Al final, me dolían las alas de tanto aplaudir.

—Y ahora, amigos míos, los jurados van a decidir. Muy pronto sabremos quién es nuestro ganador —dijo la presentadora, y se retiró.

Y entonces comenzó el problema. Los jurados no estaban de acuerdo:

—Voto al ruiseñor. Tiene muchos premios, eso nos demuestra que él es el mejor.

—Pues si tiene tantos, ya no necesita que le demos más. Yo voto al jilguero.

—Yo prefiero al mirlo. Tiene buena voz y es amigo mío.

—Voto al verdecillo. Es un principiante; pero canta bien.

—¡Me opongo!

—Yo también me opongo.

—¡Me opongo!

—¡Me opongo!

—¡Me opongo!...

No pude aguantar tanta oposición y grité: ¡Kikikirikí!

Lo hice sin querer. Estaba nervioso y se me escapó.

Se callaron todos y yo me asusté de mi propia voz. Cuando miré arriba vi mi «Kikikirikí» al lado del Sol.

—¡Bravo!, el gallo cantor ha ganado el premio. Su voz llega al cielo —dijo una corneja.

Y todos gritaron: «¡Bravo!, él es el mejor.»

Y yo me quedé sin respiración. Por fin susurré:

—Amigos, yo no sé cantar.

—No importa, porque cantas alto. Además, yo quiero irme a casa —dijo una corneja.

—Calla y coge el premio. Tendrás trigo fresco para el año entero, y también serás cantor oficial —dijo luego un cuervo.

—No me lo merezco. No puedo aceptar.

—Entonces, ¿qué hacemos? Yo no tengo ganas de discutir más —dijo otra corneja con muy mal humor.

Pensé que quizá tenía una solución, y dije:

—Podéis repartir el trigo en partes iguales y dar cuatro premios.

—Sí, pero ¿a quién nombramos cantor oficial?

—Nombrad a los cuatro.

—¡Eso sí que no! Cantor oficial solamente hay uno. Lo dice la Ley, y no hay más que hablar.

—Entonces que formen un coro.

Les gustó la idea.

—¡Eso es estupendo! Formarán un coro que será oficial y cantarán juntos los días de fiesta —dijeron todos los jurados, y luego se fueron a casa para descansar.

6

EL GALLO VELETA

UNA vez me alejé del bosque para hacer turismo.

Volé todo el día, y al fin, por la tarde, llegué a una ciudad.

Vi casas muy altas, coches, autobuses, motos, bicicletas... y muchas personas. Era muy curioso: todas tenían prisa.

Me sentí muy solo. No conocía a nadie. Tampoco sabía dónde detenerme.

De pronto, al pasar cerca de una iglesia, mis ojos se abrieron de asombro: ¿Qué hacía aquel gallo subido en la torre? Estaba bailando. Dio una vuelta, dos... y luego otras muchas más.

Pero lo mejor era que lo hacía sin ningún esfuerzo. Lo movía el viento.

—¡Qué suerte, cómo te diviertes! —le dije.

—No creas. Es muy aburrido dar vueltas y vueltas.

—Pues entonces, márchate.

—No puedo, soy una veleta. Tengo que indicar a dónde va el viento.

—Y ¿hacia dónde va?

—Va hacia donde quiere. Ahora sopla desde el norte, por eso yo doy una vuelta. Y ahora desde el sur. ¿Lo ves?, otra vez tengo que girar. Luego soplará del este, después del oeste... No me deja en paz.

—¿Nunca se está quieto?

—Sí, y entonces es mucho peor. Imagínate, tres horas mirando hacia el mismo sitio. Y así cada día, y cada semana. ¡Y todos los meses! Es desesperante...

—Lo siento —le dije.

—En fin, todos los oficios tienen sus problemas; pero hay unos que son más duros que otros. Alguien debe hacerlos, y éste me ha tocado a mí. Qué se le va a hacer.

El gallo veleta bajó la cabeza. Se notaba que estaba cansado. Suspiró en voz baja y luego añadió:

—¿Tú sabes cuál es mi sueño dorado?

¡Extender las alas y poder volar! Quisiera ir al campo. ¿Es verdad que el campo es muy grande?

—El campo es enorme, además es verde. Y hay montes que rozan el cielo, y charcos que corren y se llaman ríos.

—Y ¿hay mucho silencio?

—Tanto que se puede oír.

—¡Ay, si yo pudiera beber en el río y oír el silencio!... Creo que después no me importaría seguir dando vueltas. ¿Y sabes por qué?

—¿Por qué?

—Porque ya tendría un bello recuerdo en el que pensar.

Pobre gallo quieto. Y yo que pensé que se divertía...

De repente se me ocurrió algo.

—Si quieres, me pongo en tu sitio y vuelas un rato.

Al principio no podía creerlo:

—¿Lo dices en serio?

—Sí, lo digo en serio.

Sus ojos brillaron.

—¡Mil gracias, amigo! —gritó, y después

S
N

extendió las alas y se sonrió. Antes de marcharse me dijo:

—Por favor, no dejes la torre hasta que yo vuelva. Si te vas, se formará un lío tremendo y nadie sabrá a dónde va el viento.

Levanté mi pata derecha y le prometí que estaría en la torre hasta que él volviera.

Él me prometió que regresaría antes de que el Sol se fuera a dormir.

Después me puse en su sitio y lo vi marchar. Volaba muy mal, pero iba loco de alegría.

Enseguida comencé el trabajo de gallo veleta.

El viento sopló y yo di una vuelta. Señalé hacia el norte. Y volvió a soplar. Entonces señalé hacia el sur. Y luego hacia el este; después al oeste...

Una vuelta, dos, tres... diez, veinte, treinta... siempre muy deprisa, no me daba tiempo a fijarme en nada. Además, tenía mucho frío y me mareaba.

De repente el viento dejó de soplar. Creí que sería una alivio. Me arreglé mis plumas. Dije «menos mal» y luego miré a la ciudad. Al principio era divertido. Después... ¡Ay!, tres horas mirando hacia el mismo sitio... Soportarlo era casi igual que una enfermedad.

Me dolían las patas, me picaba el pico... y nada, no podía hacer nada, sólo estarme quieto. Las veletas no pueden moverse si no sopla el viento.

De pronto un reloj enorme, que estaba en la torre debajo de mí, comenzó a sonar: «Tan, tan, tan.» ¡Qué horror! Cantaba muy mal.

Para que callara, grité: «¡Kikikirikí!» Fue una estupidez, pero es que mis nervios no aguantaban más.

«Picofino, ya te la has cargado. Seguro que vas a la cárcel por alborotar», me dije a mí mismo, y empecé a temblar.

Pero tuve suerte, la gente pensó que el «kikirikí» era la sirena de alguna ambulancia. Los coches se echaron a un lado y no ocurrió más.

7

Las cigüeñas

El Sol recogió sus rayos y se puso rojo. Anunciaba que se iba a acostar.

Seis cigüeñas llegaron al nido que había en la torre. Era una familia: el padre, la madre y sus cuatro hijos. ¡Cómo se asombraron de verme allí arriba! Sobre todo los cuatro pequeños.

—¿Tú qué haces aquí? —preguntaron.

—Estoy de suplente. El gallo veleta tenía un sueño dorado. Se marchó a cumplirlo. Dijo que regresaría antes de que el Sol se fuera a dormir.

—Pues ya falta poco —me dijo la madre cigüeña.

—Sí, eso creo yo. Volverá enseguida —le dije, y miré hacia el Sol. Parecía un globo que estaba jugando a esconderse detrás de las nubes.

—Pues yo creo que tú eres un gallo muy bobo —añadió el padre cigüeña.

Aunque soy pacífico, no dejo que nadie me insulte así como así. Empiné la cresta y le pregunté:

—A ver, ¿por qué soy tan bobo?, ¿se puede saber?

—Pues está bien claro: el gallo veleta no volverá nunca. Su oficio es muy aburrido.

Sentí que todas mis plumas se ponían de punta.

—Volverá. Me lo prometió —susurré con voz de asustado.

—Ya, ya, te lo prometió; pero las promesas se las lleva el viento.

Empecé a temblar... Pero luego me dije a mí mismo:

«Picofino, no debes dudar del gallo veleta. Parecía honrado.»

Después pensé:

«Claro que este oficio es tan aburrido... ¿Y si de verdad no regresa nunca?... No pienses en eso, seguro que vuelve... ¡Ay! No sé, no sé...»

Pero sí volvió. Lo vimos llegar contento y cansado.

—¡Hola! Ha sido estupendo —gritó desde lejos.

En ese momento el Sol se ocultó. Y a mí se me fue el miedo que tenía sobre el corazón.

Y de pronto la ciudad brilló. Yo nunca había visto tantas luces juntas. Fue maravilloso. Parecían las calles caminos dorados.

«Es precioso —pensé—. En cuanto que el gallo veleta se ponga en su sitio, extiendo las alas y me marcho un rato a callejear.»

Pero hubo un problema: el gallo veleta ahora no podía subir a la torre.

Era natural, los gallos nunca vuelan bien. Lo mío era una excepción. Y es mucho peor cuando se es de hierro.

Yo estaba nervioso; pero no quería angustiarlo más, por eso le dije:

—Escucha, estás muy cansado. Siéntate en un árbol y reposa un poco.

Se sentó en el árbol que tenía más cerca.

Era un árbol raro. Delgado y sin hojas, y además estaba encendido.

Después me enteré de que era un semáforo.

Sentado allí encima, estaba muy guapo. Sus plumas de hierro brillaban, y primero se volvieron verdes y después se volvieron rojas.

Las cigüeñas hijos gritaban:

—¡Bravo! El gallo veleta está dirigiendo la circulación.

El padre añadió:

—Creo que le ha gustado. Quizá piense hacerse policía de tráfico.

Y yo me volví a asustar. ¿Y si se quedaba siempre en aquel semáforo? Pero no fue así. De repente me miró y me dijo:

—Perdona, me había distraído. Enseguida subo.

—Verdaderamente es un gallo honrado —dijeron todas las cigüeñas.

Yo me avergoncé, porque pensé mal.

Enseguida el gallo veleta alargó las alas, hizo un gran esfuerzo, y otra vez tuvimos el mismo problema: no alcanzó la torre.

—Espera a que el viento sople. Él te ayudará —le dijo la madre cigüeña.

Cuando sopló el viento, lo volvió a intentar.

Era un buen sistema. El viento soplaba y el gallo subía... Parecía que al fin iba a conseguirlo.

—¡Bravo, campeón! —gritaban los hijos cigüeñas.

Pero de repente el viento dejó de soplar.

Y ¡plof!: el gallo veleta se estrelló en el suelo.

No se rompió nada; sin embargo, ya no tenía fuerzas y le era imposible levantar las alas.

—¿Y ahora qué hacemos? —preguntó asustado.

Me desanimé y bajé la cresta. De verdad, no sabía qué hacer.

—Las cosas pesadas se suben con grúa —exclamó de pronto el padre cigüeña.

—No tenemos eso —le dije.

—La construiremos. Cuida a nuestros hijos, vamos a otras torres a pedir ayuda.

—No os pongáis nerviosos, volvemos volando —nos dijo la madre cigüeña.

Efectivamente, volando volvieron. Con ellas venían todas las cigüeñas que había en la ciudad.

Enseguida, con picos y patas, hicieron la grúa: una pata, un pico; un pico, una pata... Así llegaron de la torre al suelo. Y, ¡por fin!, alzaron al gallo veleta.

Suspiré aliviado. Creo que mi suspiro fue casi una explosión.

El gallo veleta dijo «muchas gracias» y empezó a dar vueltas.

Yo me alisé las plumas. Levanté la cresta, me froté las patas y agité las alas.

N
S

Lo necesitaba, porque de estar quieto mi cuerpo parecía de caña.

—Amigo, siento que te quedes subido en la torre —le dije antes de marcharme.

Pero él me dijo:

—Ahora se ha cumplido mi sueño dorado, todo es diferente. Además tengo los recuerdos. Nunca olvidaré el río corriendo, el monte que rozaba el cielo, y el silencio que me dijo cosas que nunca había oído. Pero, sobre todo, nunca olvidaré que tú eres mi amigo. Adiós, Picofino, márchate tranquilo.

Aunque sonreía, su voz era triste.

Y de pronto tuve una gran idea:

—Volveré a la torre una vez al mes. Me pondré en tu sitio y tú podrás ir a dar una vuelta. Ahora no hay problemas, ya tenemos grúa.

Sus ojos de hierro brillaron de gozo.

Yo extendí las alas y le dije adiós.

¡Qué gusto estar libre!

—¡Hasta el mes que viene! —le grité.

—¡Hasta el mes que viene! —me gritó. Y después empezó a cantar, mientras daba vueltas.

8

UN DÍA DE ELECCIONES

UN día estaba posado en un pino durmiendo la siesta. De pronto llegaron los pájaros y me despertaron.

Eran miles de milientos.

Pensé: «Habrá otro concurso.»

Pero no era eso. Lo que sucedía es que había elecciones. Elegían rey.

Decidí quedarme y curiosear. Yo nunca había visto una cosa igual.

En primer lugar hablaron los pájaros sabios:

—Amigos, hoy es un día importante —dijo una lechuza.

Un búho añadió:

—Es día de elecciones. Pensemos para elegir bien.

—¿Y en qué pensaremos?

—En qué es necesario para ser buen rey.

—¿Y qué es necesario?

—Ser justo, sociable, generoso, astuto, pacífico y además modesto.

Pensé:

«¡Caramba!, va a ser muy difícil encontrar a alguien que sea todo eso.»

—Amigos, ahora ¡a pensar!, y si alguien conoce un pájaro que sirva de rey, que lo diga pronto —les advirtió el búho.

Los pájaros se pusieron las alas sobre la cabeza. Querían pensar bien y no distraerse.

Después de algún tiempo, habló una cigüeña:

—Yo creo que el águila será buena reina. Es astuta y además valiente. Tiene mucha fuerza.

—Pero es orgullosa y muy violenta. Yo le tengo miedo —protestó un jilguero.

—La paloma entonces. No es nada orgullosa.

La lechuza movió la cabeza:

—Pero no es astuta.

Un vencejo dijo:

—A mí me parece que el mochuelo podía ser buen rey. Es inteligente.

—Pero no es sociable. Le gusta estar solo —dijo una corneja.

—Además tiene otro defecto: también es curioso. Siempre está mirando lo que hacen los otros —añadió un milano.

—Yo propongo al cuco. Creo que es muy astuto y también alegre —dijo un petirrojo.

—Sobre todo astuto, aunque me parece que más bien es fresco. Jamás hace un nido. Se deja los huevos en casa de otro. Me opongo a que sea el rey —dijo la lechuza.

—¡Que sea el gorrión! Él es muy sociable —dijo un estornino.

—No, el gorrión no. Se asusta por todo.

—El cuervo es valiente y muy decidido.

—Tiene muy mal genio.

—Entonces la urraca, también es muy decidida —propuso una alondra.

El búho se opuso:

—No, la urraca no. Sólo piensa en hacerse rica, y tiene su nido tan lleno de joyas que no cabe ella.

Empecé a cansarme:

«No van a encontrar un rey con tantas virtudes», y me marché al aire.

Estaba meciéndome en un arco iris cuando oí sus voces:

—¡Picofino! Baja, por favor. Te necesitamos.

Pensé:

«Querrán un consejo.»

Pero dar consejos siempre es muy difícil, y aún lo es mucho más si hay que buscar rey.

Me bajé del aire por educación, para no dejarlos con el pico abierto.

Pero al llegar dije:

—Lo siento, no conozco a nadie que pueda ser rey y, además, no sé dar consejos. Ahora, buenas tardes, yo me vuelvo al aire. Vosotros seguid eligiendo y que tengáis suerte.

Ya me iba a marchar. Pero ellos dijeron:

—Picofino, ¡ya tenemos rey!

—¿Sí?, pues ¡enhorabuena!, eso es estupendo. Gracias por decírmelo. Supongo que estaréis contentos.

—¡Por supuesto! Hoy es día de fiesta. La

celebraremos por todo lo alto. Vamos a invitar a las mariposas, a los saltamontes, a las mariquitas... En fin, a todos los que tengan alas. Tener un buen rey es una gran suerte.

Les dije «de acuerdo». Luego pregunté si estaba invitado. Suponía que sí porque tenía alas. Lo quería saber para ir volando a buscar regalos.

Me respondió el búho con voz sonriente:

—Pero, Picofino, sin ti no puede haber fiesta...

Le agradecí mucho la amabilidad y di media vuelta. Debía darme prisa. No tenía ni idea de lo que podía regalarle a un rey.

9

EL REY

YA me iba a marchar y el búho me dijo:
—¿No quieres saber quién es nuestro rey?

Sentí que las plumas se me ponían rojas y la cresta todavía más pálida. ¡Qué despiste el mío! ¡Qué descortesía! Estarían pensando que era un gallo muy mal educado y que no tenía ningún interés.

—Perdonad, ¡pues claro que quiero! Decidme enseguida quién es vuestro rey. Le tengo que hacer una reverencia.

Entonces el búho se puso las gafas, me miró y me dijo:

—Picofino, tú eres nuestro rey.

—¿Qué dices? —grité.

—Que eres nuestro rey.

—Sí, te elegimos todos, y nadie se opuso —dijeron los pájaros, y luego aplaudieron.

De repente lo vi todo negro y me mareé.

—¡Aire! —pidió la lechuza.

Y todos los pájaros movieron las alas.

Fue una cosa leve y enseguida me recuperé. Pero los miré con cara de bobo y dije:

—O estáis de broma o he oído mal.

—No estamos de broma y has oído bien —dijo la lechuza.

El búho añadió:

—Solamente tú eres generoso, astuto, pacífico, justo, sociable y además modesto.

—¿Yo soy todo eso? —pregunté asombrado.

—Tú eres todo eso.

Moví la cabeza:

—De verdad, yo no soy así. Seguro que hay una confusión.

El búho me dijo:

—No hay ninguna confusión. Hemos estudiado todas tus virtudes.

Yo seguía asombrado, diciendo que no.

Para convencerme trajeron testigos.

La lechuza habló en primer lugar:

—El gallo es astuto, pues engañó al zorro. Yo lo sé porque estaba allí.

—El gallo es valiente y bueno. Un día de fiesta se puso en peligro y además hizo un gran esfuerzo. Casi se murió, pero nos salvó de los cazadores. Lo vi con mis propios ojos —dijo una paloma.

—Es justo y no es ambicioso. Le dimos un premio de canto y no lo aceptó. Y también es inteligente. A él se le ocurrió que los concursantes formaran un coro oficial. Eso lo vi yo y lo vimos todos —dijo una corneja.

—Es muy generoso, y además muy sacrificado. Se subió a la torre y aguantó que el viento le diera la lata. Lo hizo por nada. Nadie le pagó. Él sólo quería que el gallo veleta cumpliera su sueño dorado. Yo también lo sé porque estaba allí —dijo una cigüeña.

—Y además, el gallo no es nada orgulloso. Podéis comprobarlo: mirad, no quiere ser rey —añadió el mochuelo.

El búho se quitó las gafas y dijo:

—Picofino, ya está todo dicho, y todo es verdad. ¿Qué nos dices tú?

Bajé la cabeza. ¿Qué podía decir? Para mí era una sorpresa, porque no sabía que yo fuera así.

—¡Viva Picofino! ¡Viva nuestro rey! —gritaron los pájaros.

Yo estaba asustado. Sentía que mi corazón se iba encogiendo. Era por el miedo que tenía a ser rey.

—Por favor, sólo soy un gallo, y además muy flaco. Tengo pocas fuerzas. Si alguien os ataca, ¿quién va a defenderos? —dije con una voz rara, como atragantada.

—¡Nosotros! —gritaron los cuervos.

Nuevamente el búho se puso las gafas y otra vez habló:

—No hace falta que un rey sea muy fuerte, solamente que dirija bien. Por tanto, este asunto ya está terminado. Picofino, eres nuestro rey.

Mi cresta se puso amarilla, mis plumas temblaron y mis patas chocaron una con la otra. Quise decir algo y no tenía voz.

—¡Hurra, hurra, hurra! —gritaron los pájaros, y luego unieron las alas y todos danzaron a mi alrededor.

Cada vez me asustaba más. Decididamente no podía ser rey. Seguro que no saldría bien. Nunca me ha gustado dar órdenes, y menos ser muy importante. Tenía que hacer algo para que los pájaros buscaran a otro. Mi problema era que no sabía qué.

10

UN REY CON DEFECTOS

DE repente se me ocurrió algo: pensé en los defectos. Los reyes no tienen y yo tengo muchos.

—¡Un momento! No puedo ser rey. Porque por lo menos tengo dos grandes defectos, y de los pequeños tendré lo menos dos mil.

Otra vez el búho se puso las gafas. Se las ponía siempre que ocurría algo de importancia.

—A ver, ¿qué defectos tienes? —preguntó con voz preocupada.

—Por ejemplo, me muerdo las uñas.

Se rieron todos y el búho me miró con gafas amables.

—No es algo muy grave —me dijo.

—Pero es que ése era de los más pequeños. Tengo otros mayores. Por ejemplo:

soy muy despistado y lo pierdo todo. Una tarde perdí treinta y cinco plumas sin saber por qué.

—Ya te avisaremos cuando olvides algo. Y si pierdes cosas, te las buscaremos.

El búho levantó la pata. Ya pensaba quitarse las gafas, pero le grité:

—¡Alto!, aún no he terminado. Os diré mi peor defecto.

Todos me miraban. Tenía que decirlo, pero ¡qué vergüenza!

—Seguro que cuando lo digas nos parecerá que no es para tanto —dijo la lechuza.

—Es que tengo miedo... —susurré con la cresta baja.

—Somos tus amigos; anda, dínoslo.

—Os lo he dicho ya, es que tengo miedo.

—No debes tenerlo, te queremos todos.

—No puedo evitarlo... Porque es mi defecto.

—¿Cuál es tu defecto? —preguntó la urraca.

Me puse nervioso:

—Lo he dicho tres veces: ¡es que tengo miedo! Miedo de la oscuridad, del zorro y

JBA

también de los cazadores... Desgraciadamente yo no soy valiente.

—¡Ah! ¿Entonces ése es tu defecto? —me dijo la urraca.

—Menos mal que por fin te enteras —le dije de muy mal humor.

—No creas que los reyes son todos valientes —dijo el búho.

—Pero tú lo eres —dijo la lechuza.

—¿Que yo soy valiente?

—Sí señor, tú eres muy valiente. Porque tienes miedo; pero si hace falta lo sabes vencer —dijo una paloma.

—¿Qué dices a eso? —me preguntó el búho.

—Bueno, quizá sí... Pero tengo un genio terrible. No digáis que no. Hace unos momentos le grité a la urraca.

—Porque es muy pesada, y no eres perfecto.

—Lo veis, yo no soy perfecto. No puedo ser rey.

—No eres perfecto, y nos alegramos, porque si lo fueras no podrías ser rey —dijo el búho.

—La gente perfecta es inaguantable —dijo la abubilla.

—Me aburre la gente perfecta —añadió el jilguero.

—Picofino, los que son perfectos no entienden que otros no lo sean, y por eso no gobiernan bien —dijo el búho.

—¡Viva Picofino!, el Rey Imperfecto —gritó una corneja.

—Un momento, que hay otro problema —añadí—. Como soy un gallo no vuelo muy alto. Casi nunca sé qué ocurre en las nubes.

—Pero eso no es ningún defecto. Tampoco un problema —dijo un gorrión—. Yo creo que más bien es una ventaja. Lo que pasa arriba lo sabemos todos. Tú sabes lo que pasa abajo. Eso nos conviene, porque de la tierra llega la mayor parte de nuestros peligros.

—¡Bravo!, muy bien dicho —gritaron los pájaros.

—Por favor, no quiero ser rey —susurré.

—Por favor, te necesitamos...

Me necesitaban... Lo pensé algún tiempo... Por fin, acepté.

Pero de repente me acordé del gallo veleta y de que él también me necesitaba.

—Lo siento, todavía hay otro problema —les dije a los pájaros.

Me miraron todos con ojos cansados. Estaban pensando que era alguna excusa.

—No es que yo no quiera. Es que prometí al gallo veleta ponerme en su sitio una vez al mes. Él sueña con eso. Ahora está contento y canta cuando da las vueltas —expliqué.

Los pájaros sabios tuvieron consulta, y después el búho habló en nombre de todos:

—Desde luego no es algo corriente que un rey tenga dos oficios, y menos que uno de ellos sea el de veleta; pero una promesa es una promesa. Está decidido. Picofino se puede marchar una vez al mes.

—¿Y quién será rey una vez al mes? —preguntó una golondrina.

Entonces tomé la palabra:

—Una vez al mes cada uno será el rey de sí mismo. Me parece que eso siempre viene bien.

El búho se quitó las gafas y dijo:

—¡Sabia decisión!

—¡Viva nuestro rey Picofino I! —gritaron los pájaros.

Yo los saludé con un ala en alto. Y, mientras, pensé:

«¡Qué cosas tan raras pasan en la vida! En el gallinero no servía de jefe y ahora los pájaros me han nombrado rey.»

11

LA VUELTA

UN día volví al gallinero con todos mis pájaros.

Íbamos en orden y no alborotábamos. Pero somos muchos. Ése fue el problema.

Parecíamos una nube enorme que iba bajando.

Al vernos, las gallinas huyeron con caras de espanto:

«¡Socorro!, que se acaba el mundo.»

«¡Socorro!, que el cielo se cae en pedazos.»

Pero Carolina estaba sentada en un árbol y me vio enseguida.

Gritó: «¡Bienvenido!» Y luego exclamó con voz de alegría:

—Gallinas, tranquilas. No se cae nada ni se acaba el mundo. Es algo estupendo: ¡Vuelve Picofino!

No la creyó nadie. Gallos y gallinas siguieron corriendo.

Carolina me esperó en el árbol. Saltaba de gozo de una rama en otra. Se balanceaba como en un columpio.

Me puse a su lado y los dos, al tiempo, abrimos las alas, las cerramos sobre nuestros cuerpos y luego temblamos. Era de emoción.

Por fin susurré:

—Carolina, los pájaros me han nombrado rey.

—Me lo imaginaba. Eres estupendo —me dijo.

Tenía los ojos brillantes y el pico contento.

—Pero no te creas —le dije—. Yo no mando mucho. Tampoco las cosas que hago son muy importantes: despierto a los pájaros cuando sale el Sol, y voy por el mundo con ojos atentos, por si hay peligros. Además procuro que no se peleen, que vivan seguros y que estén alegres.

—¿Te parece poco?

—No sé, hago lo que puedo. Y ahora, Carolina, háblame de ti.

—Yo vivo tranquila. Ya sabes, me gusta volar, y sentarme al Sol y tener amigos. Trabajo lo que es necesario. El tiempo que sobra lo utilizo para ser feliz.

Cuando terminamos de hablar de nosotros mismos, le dije:

—Por favor, llama a las gallinas, quiero saludarlas.

Pero las gallinas temían a mis pájaros. Creían que iban a atacarlas y a robarles toda su comida.

Sin embargo, no roban mis pájaros. Al contrario, cada uno llevaba en el pico un grano de trigo. Era de regalo.

Hicieron con ellos un montón dorado en el gallinero. Después fueron a la valla y se colocaron ordenadamente sobre la alambrada.

Algunos cantaban o hablaban bajito. No daban la lata. Desde luego no había silencio absoluto; pero es que los pájaros no pueden tener el pico cerrado ni medio minuto.

Como las gallinas seguían con miedo, Carolina dijo:

—Son todos amigos —y luego añadió orgullosa—: Picofino es rey. Lo han nombrado ellos. Siempre le obedecen cuando manda algo.

—No les mando mucho —susurré en su oído.

Las gallinas seguían sin salir.

—Alejaos un poco —les pedí a mis pájaros, y ellos se marcharon a jugar al aire.

Entonces salieron. Todos a la vez, gallinas y gallos. Corrían como locos, y en cinco minutos del montón de trigo no quedaba un grano.

Carolina y yo bajamos del árbol.

Primero di un beso a mi madre. Después paseé por el gallinero.

Todavía soy un gallo débil y delgado, y en el suelo se me nota más.

Mi madre me miró con cara de duda y después me dijo:

—Hijo, ¿de verdad eres rey?

—No tienes corona —dijo una gallina.

Yo empiné la cresta y le pregunté:

—Entonces, ¿qué es esto?

—¡Bah! —respondió ella con voz de desprecio, y luego añadió—: No creo que seas rey.

—Nosotras tampoco —dijeron todas las demás.

Era una bobada, pero me dio rabia y llamé a mis pájaros.

Los pájaros bajaron del cielo inmediatamente:

—¿Qué sucede, rey, es que estas gallinas te están molestando? —me preguntó un cuervo.

Las gallinas temblaron de miedo, y hasta hubo una que se desmayó.

—No sucede nada —respondí—, solamente querían saludaros y daros las gracias por vuestros regalos.

Los pájaros pusieron caras de saludo, dijeron «de nada» y luego pidieron permiso para retirarse.

Cuando se marcharon, Carolina dijo:

—¿Es rey o no es rey?

—Parece mentira, pero sí lo es —dijeron gallos y gallinas.

Después, Carolina y yo seguimos char-

lando: estábamos juntos y sólo por eso éramos felices.

Pero el tiempo se pasó muy pronto. Fue visto y no visto. Cuando me di cuenta, el Sol ya se había marchado, y también nosotros teníamos que irnos.

Pregunté:

—Carolina, ¿te vienes conmigo? Volar por el mundo es maravilloso.

Ella respondió:

—Me gusta mi árbol, y volar bajito, y poner los huevos con tranquilidad. Picofino, no puedo ir contigo. Tú eres casi un pájaro, y te han hecho rey. Y yo, simplemente soy una gallina. Mi mundo es el gallinero.

Le dije que la comprendía. Después añadí:

—Volveré otro día.

—Te estaré esperando.

—Cuando tengas tiempo, piensa un poco en mí —le dije, y me respondió:

—Pienso cada día.

—Adiós, Carolina.

—Adiós, Picofino.

Unimos las alas, nos dimos un beso y regresé al aire, con todos los pájaros.

ÍNDICE